学前快读600字

（第四册）

李 征 编著

郭姿佳 绘

化学工业出版社

·北京·

如何使用本书

【课文】

文章比前三册要长，更接近于绘本。试着由孩子自己读课文。遇到不认识的字可以跳过，或者根据上下文猜一猜。

【生字】

家长带领孩子读两遍。经过三册的学习，孩子的识字量和识字能力有了很大提高，在本册学习中，家长可以用联想法把本课生字与以前学过的字结合起来学习。

【组词和短语】

家长带领孩子读，或者试着由孩子自己读。除了列出的词，还可以让孩子自己组词，拓展词汇量。对于学有余力的孩子，家长可以把所组新词写下来，给孩子认读。

【提问】

与孩子互动讨论，检验对课文的理解。试着让孩子自己读题，锻炼阅读理解能力。讨论中，家长要多提问，多倾听，少评论，不要轻意否定。

祝贺！终于学完了！先不要急着把书从书架上清理走，可以继续作为自主阅读材料。因为所有字都学习过，阅读时会更顺利。即使孩子已经进入小学，仍然可以使用到小学一二年级。

目 录

老鼠嫁女儿

从前啊，有一个老鼠爸爸，他想把女儿嫁给世界上最伟大的人。可谁是世界上最伟大的人呢？他想啊想啊……

太阳！他一定是世界上最伟大的人。老鼠爸爸就去找太阳问话。

"你好，太阳先生，你是世

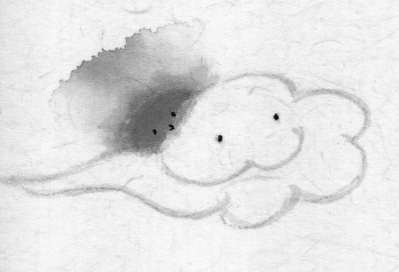

界上最伟大的
人，我能把女
儿嫁给你吗？"

"我不是世界
上最伟大的人！云一出现，我就
被挡住了。最伟大的是云。"

老鼠爸爸又去找云。

"云先生！你是世界上最伟
大的人。我能把女儿嫁给你吗？"

"我不是世界上最伟大的人！
风来了，我就被吹得远远的。最
伟大的是风。"

老鼠爸爸又去找风。

"风先生！你是世界上最伟大的人。我能把女儿嫁给你吗？"

"我不是世界上最伟大的人！我遇到墙，就被挡住了。最伟大的是墙。"

老鼠爸爸又去找墙。

"墙先生！你是世界上最伟大的人。我能把女儿嫁给你吗？"

"我不是世界上最伟大的人！最伟大的就是你们！是老鼠！"

"啊？世界上最伟大的人是老鼠？"

"对啦，就是老鼠，只要你们一出现，我就被挖洞了！"

老鼠爸爸好开心，他知道世界上最伟大的人是谁了，就是老鼠。最后，他把自己的女儿嫁给了鼠小弟。

嫁 女 世 界

伟 谁 话 先

云 被 挡 远

遇 墙

 认识词和短语

出嫁 女生 女儿 世上

10

世界　去世　眼界　边界

伟人　伟大　笑话　说话

讲话　话语　喊话　早上

先天　先后　再生　野生

先生　云海　云彩　被子

被动　挡住　远方　远道

远见　远大　长远　遇到

遇见 巧遇 机遇 墙报

自己人 毛巾被

 思考游戏

★读一读，想一想，根据课文内容，对的画"√"，错的画"×"。

① 老鼠爸爸问了太阳、云、风、墙，他们都不是最伟大的人。（ ）

② 天上的云不会被风吹走。（ ）

③ 老鼠们会在墙上挖洞。（ ）

④ 老鼠爸爸最后把女儿嫁给了鼠小弟。（ ）

朵朵等下雪

　　早上起来，爸爸说："报纸上说今天晚上可能会下雪。"

　　朵朵高兴得跳起来。她最喜欢下雪了，急着跑到窗前往外看。

　　爸爸说："要到晚上才能下，或许要等到夜里。"

　　中午吃完饭，朵朵又走到窗前，去看有没有下雪。还没下。

　　这一天，朵朵不停地去

看外面，可一直没有下雪。

　　直到晚上睡觉了，朵朵睡不着，又爬下床去看。"下雪啦，下雪啦，真的下雪啦！"朵朵大叫

着，外面的路灯下，能看到星星点点的雪花在飞，地上也变白了。

朵朵问妈妈："我现在能出去玩吗？"妈妈说："现在不可以，等到明天吧，那时雪会更厚。如果你喜欢，还可以堆雪人。"

第二天，太阳刚一出来，朵朵就醒了，她大叫："起床啦，爸爸！起床啦，妈妈！玩雪去啦！"

他们一起来到公园，大地上的一切都变白了，雪白雪白的。

玩雪啦！等了一天雪的朵朵这时候最开心了。

认识生字

朵 等 急 往

才 或 夜 中

午 饭 爬 路

厚 如 堆 刚

醒 切

花朵　等到　着急　急用

急流　向往　往日　往后

天才　人才　夜晚　星夜

中午　午后　午睡　睡觉

自如　如果　比如　土堆

刚好　刚才　提醒　觉醒

清醒　一切　急切　切菜

来来往往　等一等

睡醒了　爬山虎

思考游戏

★读一读，想一想，根据课文内容，在正确答案上画"√"。

① 什么时间下的雪？

白天（　）　中午（　）　晚上（　）

② 朵朵是在哪里玩的雪？

小山上（　）公园（　）家里（　）

田野（　）菜园（　）

小兔子不见了

又一个夏天过去了，朵朵五岁了，她有了自己的小房间。妈妈送给她一只有着雪白绒毛的、穿着漂亮花格子衣服的小兔子。

每到上床的时间，朵朵都要搂着小兔子。小兔子软软的、暖暖的，朵朵很快就睡着了。

有一天早晨，朵朵一起床就哭起来。

小兔子不见了。她在小房间里到处找，怎么也找不到。

朵朵哭得很伤心，跑去问正在做早饭的妈妈，妈妈说："我没看见啊。"朵朵跑去问正在看报纸的爸爸，爸爸说："我也没看见啊。"朵朵又去问奶奶，奶奶也不知道她的小兔子在哪里，急得快要和朵朵一起哭起来。

朵朵只好伤心地去了幼儿园。她一天都不高兴，心里总是想着小兔子呢。

到了晚上，朵朵要上床睡觉了，她拉过被子，把脚伸进被子里，你猜她的脚碰到了什么？一个软软的、暖暖的、穿着漂亮花格子衣服的……对啦，就是朵朵的小兔子。

朵朵不再伤心了，高兴地搂着小兔子睡着了。

夏　岁　绒　穿

格　衣　服　搂

软　处　怎　正

幼　总　脚　碰

 认识词和短语

夏天　岁月　岁数　鸭绒

绒毛　绒布　格子　格外

搂抱　心软　软木　好处

到处　幼小　手脚　脚下

碰头　碰巧　碰见　衣服

衣物　毛衣　说服　正好

正在　总是　幼儿园

穿衣服　怎么了

思考游戏

★读一读，想一想，根据课文内容，在正确答案上画"√"。

1 朵朵是在哪儿找到小兔子的？

小床旁边（ ） 书包里面（ ）

沙发后面（ ） 被子下面（ ）

2 是朵朵的奶奶帮她找到小兔子的吗？

是（ ） 不是（ ）

3 朵朵在幼儿园时很伤心。她想谁了。

妈妈（ ） 爸爸（ ） 小兔子（ ）

奶奶（ ）

蒲公英

夏天，草地上经常出现一个个小绒球，那是蒲公英的种子。

有风吹过时，蒲公英的

种子就顶着小伞飞走了，落在这儿，落在那儿。

种子有了新家，把根深深扎到土里，然后发芽、长大、开花。

蒲公英的花是黄色的。鲜艳的金黄色和花蜜的香味，吸引了蜜蜂、蝴蝶和其他昆虫。它们飞来飞去，一朵花一朵花地吃美味的花蜜，同时也帮助蒲公英传花粉。

几天后，小黄花就落了，然后，长出小白绒球，又到处飞散啦……

蒲 英 经 常

顶 根 深 扎

吸 引 蝴 蝶

其 助 传 粉

散

经过　经常　日常　头顶

生根　树根　深山　水深

扎手　包扎　吸引　引起

蝴蝶　其中　其他　助手

助跑　传说　传给　粉笔

粉色　面粉　分散　散开

夏天　蒲公英　小白绒球

★读一读，想一想，根据课文内容，在正确答案上画"√"。

蜜蜂、蝴蝶等小昆虫们帮了蒲公英什么忙？

（　）帮着蒲公英的种子找新家。

（　）在蒲公英的花朵间传花粉。

★读一读，想一想，根据课文内容，把正确答案的序号写在横线上。

蒲公英的叶子是＿＿＿的，

蒲公英开的花是＿＿＿的，

蒲公英种子的小伞是＿＿＿的。

①红色　　②黄色　　③白色

④绿色

松鼠的尾巴

　　松鼠生活在森林里，它们大多体形较小，但都有一条特别大的尾巴，大约有它的两个身体那么长。这么长的尾巴有什么用呢？用处可多啦！

　　松鼠在树上跳来跳去，这条大尾巴能帮助它不会掉下来。

当松鼠尾巴挺直，最远可以跳出十几米呢。有了这种本领，有动物要吃它时，就能很快逃走。

　　当松鼠从树上跳到地面时，大尾巴像降落伞一样，使它能慢点落下。当它落到地面上时，又厚又软的大尾巴正好挡在身体下面，不会让它受伤。

　　在松鼠睡觉时，它把大尾巴放在身上，像被子一样盖住头和身体，就很暖和了。

活 较 特 身

挺 米 本 领

逃 降 样 使

让 受

认识词和短语

活着 生活 快活 活力

比较　特别　身体　身手

身长　挺立　挺直　小米

米粉　本子　书本　本来

课本　领土　领口　领地

逃走　逃生　逃跑　降雨

降落　样子　这样　花样

使用　使出　让路　受用

经受　下降　睡觉　动物

不怎么样　好样儿的

思考游戏

★读一读，想一想，根据课文内容，在正确答案上画"√"。

松鼠的尾巴有什么用处？

（　）当降落伞，使它能慢点落下。

（　）可以用尾巴在树上玩秋千。

（　）当被子盖，让自己暖和。

（　）能让松鼠不会从树上掉下来。

（　）能帮助松鼠在水里游得更快。

忘了说 "我爱你"

小田鼠点点和妈妈住在村子旁边的树林里。

有一天，妈妈对点点说："家里没有吃的了，我要出去找找。你好好在家，关上门，关好窗，别让猫进来。"

点点说："你放心吧！妈妈，我会小心的，你要早点回来。"

妈妈说："我要走啦，你还有什么要说的？"点点想了想说："没有了。"

妈妈走后，点点关上窗，

关了门，坐在窗边看着妈妈走远了。他大喊起来："等一下，妈妈，我忘了一件重要的事！"

点点飞快地跑出门，往妈妈走远的方向跑去。边跑边叫："等一下，妈妈，我忘了一件重要的事！"

妈妈走远了，没听见点点的叫声。

妈妈来到了路边的一块麦田，麦子刚刚成熟，妈妈开始专心地收下麦粒，放在背袋里，没有感觉到一条蛇要吃她。

蛇悄悄地爬向妈妈，越来越近了。就在这时，点点从远处跑来，大声地喊："妈妈，等一下，我忘了一件重要的事！"

这下妈妈听见了，她一回头，刚好看见蛇张着大嘴，吓得她飞快地往回跑，边跑边向点点叫："有蛇！快回去！"

妈妈拉着点点一口气跑

回家，关好门。蛇没有追上来，
他们安全了。

　　妈妈拿出背袋里的麦粒，
和点点一起高兴地吃起来。妈妈

对点点说："点点，今天如果没有你，妈妈就被蛇吃了。你去找我，是有什么重要的事情？"

点点看着妈妈说："你出门时，我忘了说'我爱你'。"

认识生字

关 件 事 块

麦 熟 始 专

收 粒 背 悄

近 气 追 安

 认识词和短语

开关　关门　事件　条件

41

做事　心事　小麦　麦子

熟人　熟睡　成熟　专心

专用　收成　收回　米粒

背带　后背　手背　悄悄

走近　追问　气球　小气

天气　生气　方块字

一块儿　大块头　背书包

★读一读，想一想，在正确答案上画"√"。

蛇能吃下面什么小动物？

老鼠（　）青蛙（　）牛（　）马（　）

★读一读，讨论下面的问题。

① 小田鼠有什么重要的事？

② 她是为了要去帮妈妈吗？

③ 点点自己去找妈妈，这样可以吗？为什么？

【TIPS】 讨论时多用开放性问题

　　和孩子讨论问题时，多用这样的句子："你觉得是因为什么？""你认为呢？"可以引发孩子的思考和表达热情。无论孩子是怎么回答的，都不要轻意否定。有的孩子喜欢说"不知道"，那么家长要了解孩子是真的不知道，还是拒绝和家长沟通。如果是前者，可以先说自己的想法，从而引发孩子的观点；如果是后者，可能是亲子关系出现问题，家长更需要多与孩子沟通交流了。

彩虹

雨后的彩虹，是那么漂亮，那么让人着迷。

彩虹是一种自然现象，是阳光照射空气中的水滴，发生反射和折射造成的。当雨过天晴时，因为空气中有大量水滴，彩虹就可能会出现。

我们可以看到彩虹上有七种颜色，从外至内为红、橙、黄、绿、青、蓝、紫，但它的色彩远远比七种还要多。阳光

就是由这些颜色组成的，阳光不是白色的。

有时不用等到下雨，只要空气中有水滴，而阳光正在你的背后以低角度照射，便可以看到彩虹。用水管给草浇水的时候，我们从一些角度，也可以看到小彩虹。

虹 照 射 空

滴 反 造 晴

量 至 内 橙

蓝 紫 由 而

角 度 管

彩虹　反射　照射　天空

落空　空心　滴水　滴答

反面　反对　相反　人造

晴天　力量　能量　数量

至少　冬至　内心　内外

橙子　橙黄　蓝天　紫菜

紫色　自由　反而　嘴角

牛角　三角　角落　力度

照样　照明　晴空万里

 思考游戏

★读一读，想一想，在正确答案上画"√"。

在什么时候，可能会出现彩虹？

（　）有太阳，空气中有水滴

（　）雨过天晴

（　）有太阳，正在下雪

（　）有月亮，空气中有水滴

小熊过生日

　　今天是小熊的生日，他的好朋友小狗、小兔、小松鼠、白鹅和山羊，都来到他家，还给小熊带来了生日蛋糕。

　　小熊高兴地说："谢谢你们为我过生日，谢谢你们的生日礼物。"大家都说："不客气，不客气。"

　　小熊请小朋友们坐下，然后说：

"我也给你们准备了好吃的东西。"

小熊给小兔一棵白菜，给小狗一根肉骨头，给小松鼠一盘松子，给山羊一捆禾苗。最后啊，给大白鹅的是新鲜的小虾和水草。

大家高兴地说："小熊，你可真细心，准备了我们最爱吃的东西。"小熊开心地笑了，他给自己准备的是一大碗蜂蜜和一根玉米。

大家为小熊唱生日歌，一起吃了生日蛋糕。

蛋 糕 谢 礼

客 请 准 备

肉 骨 盘 捆

苗 虾 碗 玉

唱

蛋黄　鸡蛋　糕点　谢谢

感谢　礼物　客人　游客

客气　请问　有请　请教

准备　肉松　骨头　软骨

盘子　沙盘　苗条　树苗

鱼苗　虾皮　青虾　饭碗

玉石　玉米　说唱　领唱

五花肉　捆东西

一捆木头　一棵大树

思考游戏

★读一读，想一想，根据课文内容，在正确答案上画"√"。

有几个好朋友来给小熊过生日？

四（　）五（　）六（　）七（　）

★读一读，讨论一下。

1 小朋友们想想看，为什么小熊会有很多好朋友？

2 你会唱生日歌吗？家里人过生日时，你为他们唱生日歌了吗？

你的骨头

世界上最奇妙的事物就是人体。

在你的身体里，藏着206块骨头。你能站得直直的，就是因为你有骨头。

骨头藏在你的胸口、脊背、脚和两腿里，也藏在你的脑袋、嘴和耳朵里。

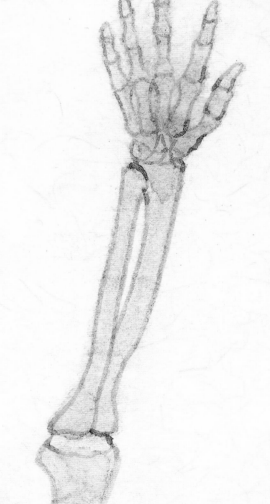

最长的骨头在大腿。最小的骨头在耳朵里，像一粒米那样大。

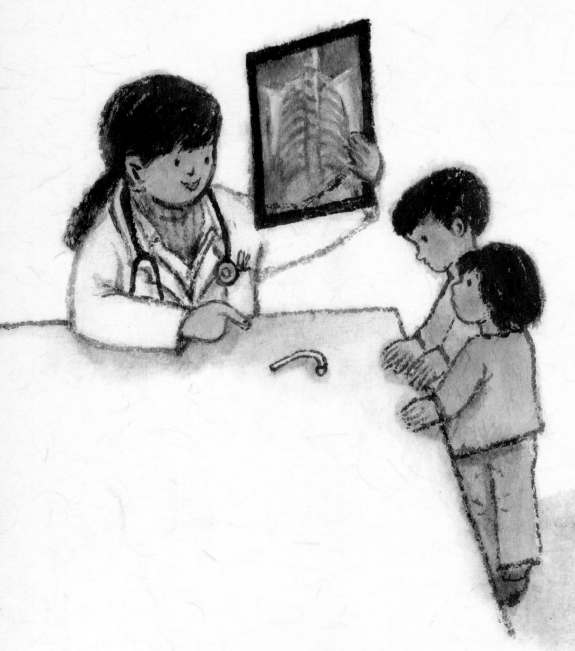

骨头保护着你身体里软软的内脏。很多人能摸到自己的肋骨，你能数数自己的肋骨吗？

你出生时，骨头还很软，长大以后，才变硬。你长大，骨头也跟着变大。

出生时，有300块骨头，好多都是软骨。随着长大，大部分骨头都慢慢地变硬了。

一些骨头在长大时和其他骨头长在一起，所以成年后只有206块骨头。

胸 脊 脑 耳

保 护 脏 摸

肋 硬 随 部

所 年

 认识词和短语

胸口　心胸　山脊　书脊

58

脊背　大脑　脑力　脑袋

耳朵　耳语　保重　看护

保护　内脏　心脏　捉摸

肋骨　鸡肋　硬度　生硬

过硬　随手　随从　随便

随身　部分　部门　外部

所有　所以　早年　中年

新年　大年夜　里脊肉

年月　摸黑儿　硬骨头

思考游戏

★读一读，想一想，在正确答案上画"√"。

小朋友们，你数过自己的肋骨有多少根了吗？

十二（　）二十四（　）三十六（　）

★读一读，讨论一下。

我们长大以后，身上还有一些骨头没有完全变硬，还是软的，你知道在哪里吗？

云

云是天空中的艺术品，它让天空的景色更迷人，让我们总能看到美丽的风景。云看上去一会儿像猫，一会儿像狗，一会儿像熊，有时还能看到飞跑的汽车。

为什么云看上去各不相同？这和云飘浮的高度，还有风的强度有关。天空会出现各种不同颜色的云，有白云，有青色、灰色、黑色的乌云，还有红色和紫色的彩云。

云能帮我们预测天气，看到乌云，往往大雨将至。而傍晚时分火红色的云，则代表第二天是个晴朗的好天气。

艺 术 品 景

汽 车 浮 强

灰 乌 预 测

将 傍 则 代

表 朗

艺术　手艺　美术　礼品

物品　用品　景色　远景

风景　漂浮　浮力　强大

好强　乌云　乌黑　预报

预定　预测　猜测　将来

将要　傍晚　原则　现代

后代　晴朗　开朗　灰色

★读一读，想一想，根据课文内容，对的画"√"，错的画"×"。

① 每片云看上去各不相同，和云在空中飘浮的高度，还有风的强度有关。（　）

② 当天空中有很多乌云，往往是快要下大雨了。（　）

③ 当我们看天上的云朵时，可以把它们想象成各种各样有趣的东西。（　）

④ 天空会出现不同颜色的云，有白色、青色、灰色、黑色的云，还会有红色和紫色的彩云。（　）

爷爷喜欢修机器

爷爷喜欢修机器。他喜欢修很大的机器，比如他的拖拉机，还有很小的机器，比如面包机。他喜欢修跑得很快的机器，比如小汽车，还有跑得很慢的机器，比如钟表。

有一天，奶奶正在草坪上割草，割草机不动了，原来是没油了。奶奶去拿油桶加油。这时，爷爷过来了，"割草机坏了，我来修一修！"

爷爷拆下扶手，拆下刀片，拆下发动机……

奶奶提着油桶回来了，"这是怎么回事？你在干什么？"奶奶很生气。

"亲爱的，我正在帮你修割草机。"爷爷红着脸说。

修 器 拖 钟

坪 割 油 桶

加 坏 拆 扶

刀 亲 脸

乐器　机器　拖车　拖把

汽车　汽水　车把　客车

钟点　时钟　表现　表情

手表　表面　草坪　收割

油画　饭桶　马桶　更加

坏人　坏处　拆开　扶手

尖刀　菜刀　亲人　亲自

亲切　笑脸　脸色

拖后腿　割草机　坏东西

 思考游戏

★读一读，想一想，根据课文内容，在正确答案上画"√"。

① 割草机为什么不动了？

坏了（　　）没油了（　　）

② 爷爷喜欢做什么事？

开汽车（　　）修钟表（　　）

割草（　　）　修拖拉机（　　）

做面包（　　）

奇妙的水

水是生命之源，所有生物都需要水。没有水，就没有动物和植物，也就没有了人类。

水是无色透明的。但平时看到的水却往往有颜色。这是因为水会受到其他东西的影响，如河岸上绿色的植物在水中的倒影，它们给水带来了色彩。

水可以有不同的温度，带给我们的感觉也不同。

水有三种状态：

零度以下水会结成冰，是固体的水，有重量，也有体积，还有自己的形状。

常温下水是液体，有重量，也有体积，没有自己固定的形状，可以流动。

当把水烧开，它会变成水蒸气。水蒸气是一种气体，有重量，也有体积，但没有形状了。

随着温度的变化，水的状态也发生了变化，是不是很奇妙？

命 之 源 需

植 类 透 影

响 倒 温 态

零 结 冰 固

液 烧 蒸 化

生命　之前　源头　水源

来源　需要　植物　种植

类别　人类　分类　同类

透明　透风　看透　影子

背影　温度　温暖　体温

态度　生态　气态　零度

零件　结果　总结　冰山

冰点　冰球　固体　液体

烧火　蒸发　清蒸　老化

思考游戏

★读一读，讨论一下。

① 我们人类的生活是不能没有水的。请小朋友说说水都能用来做什么。

② 小朋友，你能在哪里找到水？它们是什么形态的？

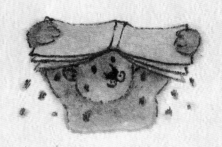

本册总生字表

本册共198个生字、397个词组，让孩子读一读生字吧！

堆 刚 醒 切 夏 岁 格 衣

请 准 服 嫁 女 世 界 伟

谁 云 被 挡 远 遇 墙 朵

等 较 特 身 挺 米 本 领

逃 降 样 使 让 受 关 件

事 块 麦 熟 始 专 收 粒

话 先 背 悄 急 往 才 或

夜 中 传 路 厚 橙 蓝 紫

由 而 角 糕 谢 礼 客 备
肉 如 搂 度 管 蛋 软 处
怎 正 幼 总 脚 碰 蒲 英
经 常 顶 根 深 扎 吸 引
蝴 盘 捆 蝶 其 助 粉 散
活 近 气 追 安 虹 照 射
空 滴 反 造 晴 量 至 内
骨 午 饭 爬 苗 虾 碗 玉
唱 胸 脊 脑 耳 保 绒 穿
护 脏 摸 肋 硬 随 液 烧

部 所 年 艺 朗 修 器 拖

钟 坪 割 油 桶 加 坏 拆

扶 刀 亲 脸 命 表 态 零

结 冰 固 蒸 化 之 源 需

植 类 透 影 响 倒 温 术

品 景 汽 车 浮 强 灰 乌

预 测 将 傍 则 代

哇！我认识 _____ 字啦！

认不出的以后重复认几次吧，把认出的字数写
在横线上，爸爸妈妈一定要多鼓励孩子哟！

后 记

本书编写创意的提出，来自于我的好友黑羽。2012 年的夏天，她正满世界找识字书给大女儿枞枞做学前准备。在找的过程中，出于一名资深封面设计师的敏感和一位母亲的经验，黑羽发现市面上的识字书数量虽然不少，但编排过于简单，画面不够美，内容很无趣……总之最后扔给我一句：编本识字书吧，我们家枞枞、你们家牛牛都能用上。最好能有好玩儿的故事，有美美的画，能让孩子们学会自主阅读。于是，我找了汉字专家、教育专家、小学语文老师、幼儿园老师、专职妈妈碰创意、做调查、寻作者。样章出了好几稿始终不满意，最后决定，自己操刀。至此，我要从幕后的编辑被推向前台，包装上市……

结果这一编就是两年。枞枞已经成为一名小学生，牛牛已经认了不少字。

要感谢黑羽的全程督促，否则枞枞小学毕业时也出版不了。为了便于监督，她同时担任本书的排版、设计工作。要感谢萧愚家庭教育网校的萧愚老师（微信公众订阅号：xypinglun），他给我提了很多建议，还贡献了多篇美文。因为每篇文章只能在三四十个生字的范围内写，所以这会是北大中文系高才生最难写的作文吗？还要感谢几位参与样章试读并提出中肯修改意见的妈妈：田田妈妈、米粒妈妈、小宇妈妈、娇娇妈妈和陶陶妈妈……

本书每篇文章的用字皆要在 642 字的字库范围内，如何知道是否有超范围的字？靠人工比对的话非要把"最强大脑"里的选手请来不行，但有了小语妈妈、小语爸爸两位专业程序员的参与，就可以用程序解决问题且绝对准确无误！小语爸爸给他写的程序起了个名字：送给孩子们。这么有爱的名字，第一次看到时被震住了。仿佛偷窥到理科男的柔情，又仿佛一语道破我编写这套书的妈妈心。

还要感谢本套书的插图作者姿佳，她高质量的插图成就了这套书的品质。感谢化学工业出版社的编辑，没有他们对选题的认可与支持，也没有这套书的出版。

送给孩子们，不仅是枞枞、牛牛，还有娇娇、田田、米粒、小宇、小语、陶陶、昊楠、乐乐、睿睿、瓜瓜……所有即将开启求学生涯的孩子们，祝早日脱掉"文盲"的帽子，通过识字、阅读愉快地走上智慧人生！

李 征

2014 年 5 月